柳公权神策军碑

中国碑帖经典

图书在版编目（CIP）数据

柳公权神策军碑／上海书画出版社编．—上海：上海书画出版社，2000.12（2006.6 重印）
（中国碑帖经典）
ISBN 978－7－80635－875－7

Ⅰ. 柳…　Ⅱ.上…　Ⅲ.楷书－碑帖－中国－唐代
Ⅳ. J292.24

中国版本图书馆 CIP 数据核字（2006）第 066213 号

封面设计　王　峥
责任编辑　方传鑫
技术编辑　吴蕃中

柳公权神策军碑　本社编

上海书画出版社　出版发行
地址：上海市延安西路 593 号
邮编：200050
网址：www.shshuhua.com
www.duoyunxuan.com
E－mail：shcpph@online.sh.cn
上海市印刷二厂有限公司印刷
各地新华书店经销
开本：890×1240　1/16
印张：4　印数：20,401—22,200
2000 年 12 月第 1 版　2015 年 5 月第 8 次印刷

ISBN 978－7－80635－875－7
定价：22.00 元

《神策军碑》简介

柳公权，字诚悬，京兆华原，今陕西耀县人，生于大历十三年，（七七八），卒于咸通六年（八六五），享年八十八岁。先生禀刚烈，为人正直，精诗文，工书法，元和进士。穆宗时以付书学士再迁司封员外郎，文宗时迁中书舍人，封河东郡公，进太子少师，故后人亦称之为柳少师。相传穆宗帝尝问笔法，少师奏曰：『用笔在心，心正则笔正。』一时少师笔谏传为美谈。

《神策军碑》全称为《皇帝巡幸左神策军纪圣德碑并序》，唐会昌三年，即公元八四三年立，原石久佚，传世仅宋贾似道旧藏本上半册，曾流入香港，现藏北京图书馆，北京文物出版社有珂罗版影印本。

柳公权的书法，在唐一代书法家中很有特点，他先学二王，深谙用笔之大法，后得颜真卿笔姿进而融唐初书法大家于一炉，独创其青筋硬骨的书风，尤以钩捺、撇顿的用笔，完全脱胎于颜书但又不受其束缚，力图简化用笔之诡异。综观此碑，竟还得法于隋《尤藏寺碑》的瘦雅笔调，变颜鲁公的『博大、豪迈、庄严、气壮』之势为『端雅、犀利、透骨、露筋』之笔，整篇法书，骨鲠气刚，清健端庄，成功地写出了自己特有的风范，不愧为学古而化的典范之作。

学习柳公权书法，往往入手容易，久之难以进步，结构形似而神采全无，这主要是未能正确地运用笔法的缘故。柳书的笔法，脱胎于颜书，尤其是此碑中的长撇长捺更是一脉相承，而《神策军碑》书体的点画，极讲究顿笔，在画的起止及转折处更为明显，初学者往往能抓住顿笔之特征，而忘了运笔过程中的提按，始不知运笔过程中提按顿挫，抽筋拉丝致使笔画产生有力之质感。故学习柳书，首先要掌握笔法，然后再研究其结构。柳书的结构属严谨险峻一路，这一点，倒是明显地取法于欧阳询，字形偏长，而结构紧密，方劲挺拔而字形峻峭，中宫紧缩而四体开张，具有建筑美的艺术特征。后人评述唐人尚法，首推欧、柳两家，以吾之见，柳更甚之，法度谨严几可登峰造极，亦因如此，用笔程式化影响明显，使字形结构变化不大，千篇一律。同为有唐一代书法大家，颜真卿几十种传本风格面貌小同而大异，而柳公权的作品则小异而大同。

孙敏

皇帝巡幸左
神策軍紀聖
德碑并序

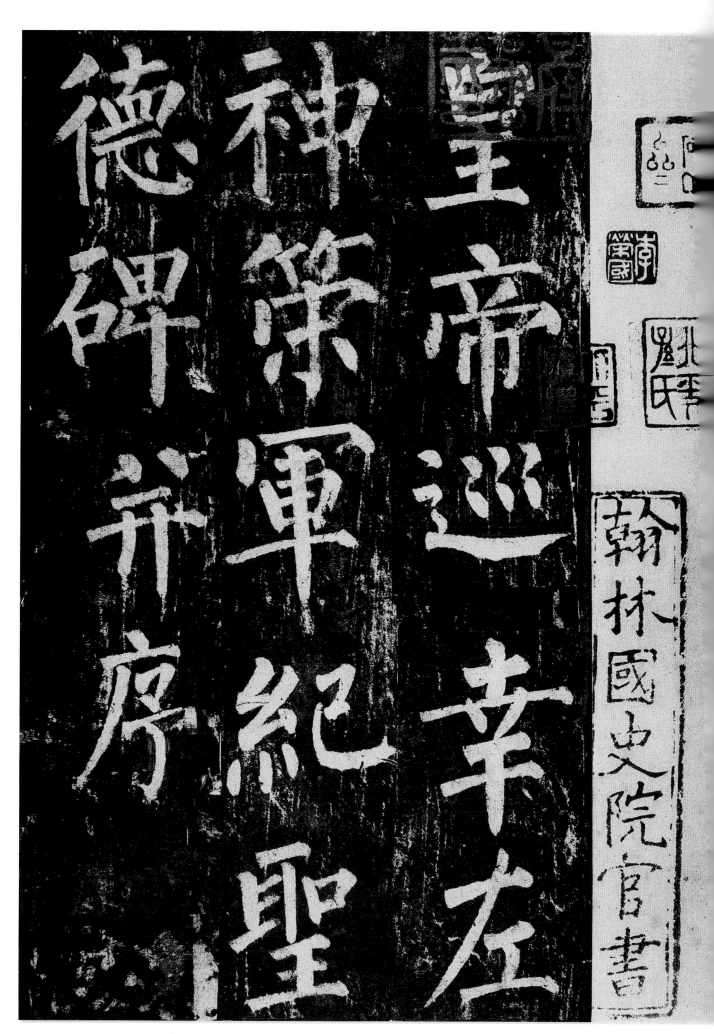

翰林學士承
旨朝議郎守尚書
司封郎中知制
誥上柱國賜紫金

魚袋臣崔鉉奉
勑撰
正議大夫守右散
騎常侍充集賢殿

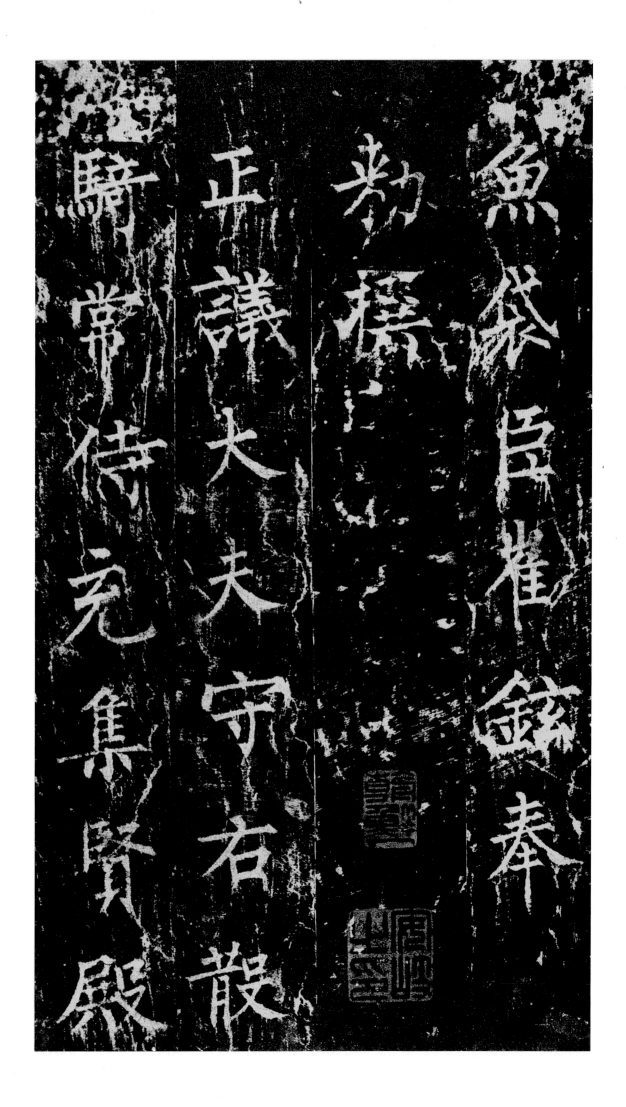

學士判院事上柱
國河東縣開國伯
食邑七百戶賜紫
金魚袋臣柳公權

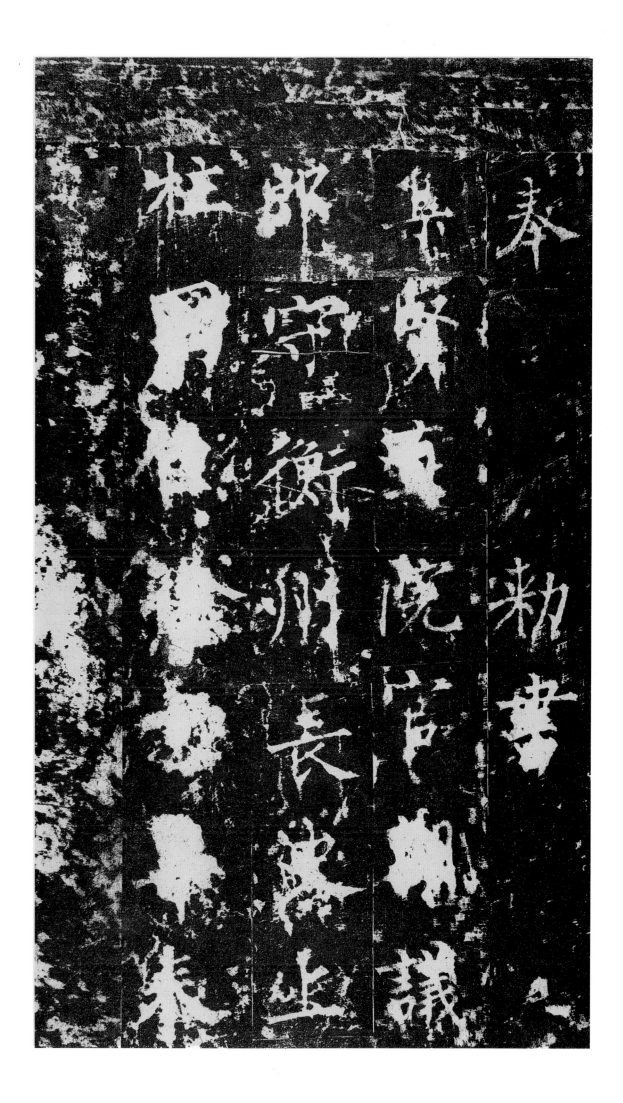

奉　敕書

集賢直院官朝議

郎守衛州長史上

柱[illegible]

我國家誕受
天命。奄宅區
夏二百廿有

餘載。
列聖相承。重
源累洽。逮于

十五葉。運屬
中興。
仁聖文武至

神大孝皇帝。温恭濬哲。齊聖廣泉。會天

地之昌期。集
謳歌於潁郊。
由至公而光

符。歷試踰五
讓而絕登
寶圖。握金鏡

以宣四時。撫璿璣而齊七政。齋須齊併。

神[illegible][illegible][illegible]。[illegible]

[illegible][illegible]初惟新

雨沛澤。昭蘇品

稟。序勸賢能。祗畏勞謙。動遵法度。竭

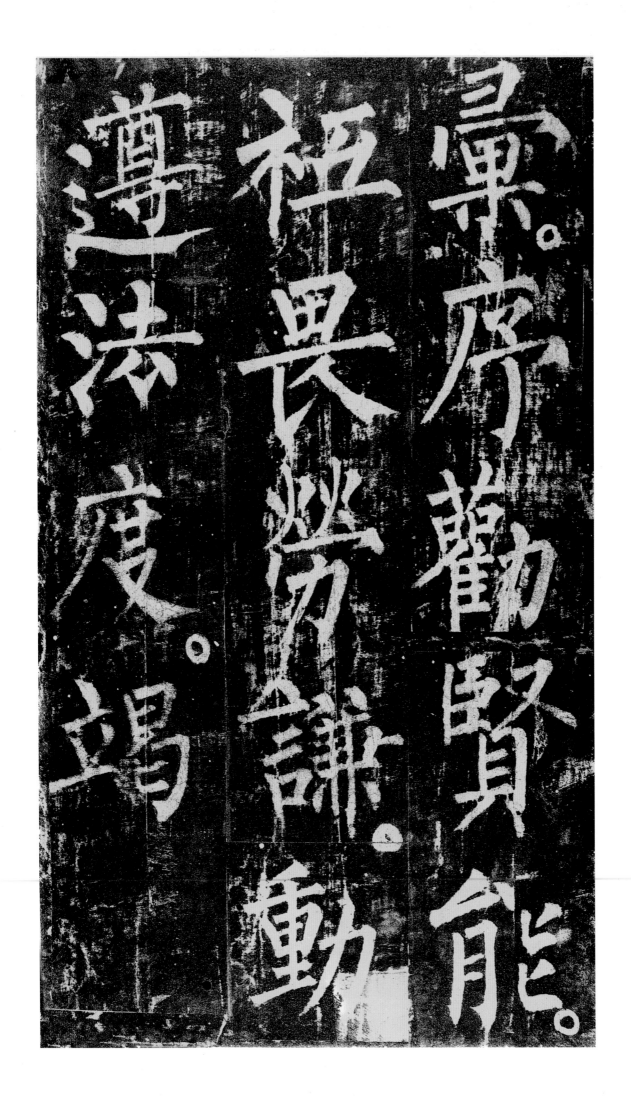

孝思於
昭
配。盡哀敬於
園陵。風雨小

歷。虔心以
申乎祈禱。燕
[illegible]未息。數夜

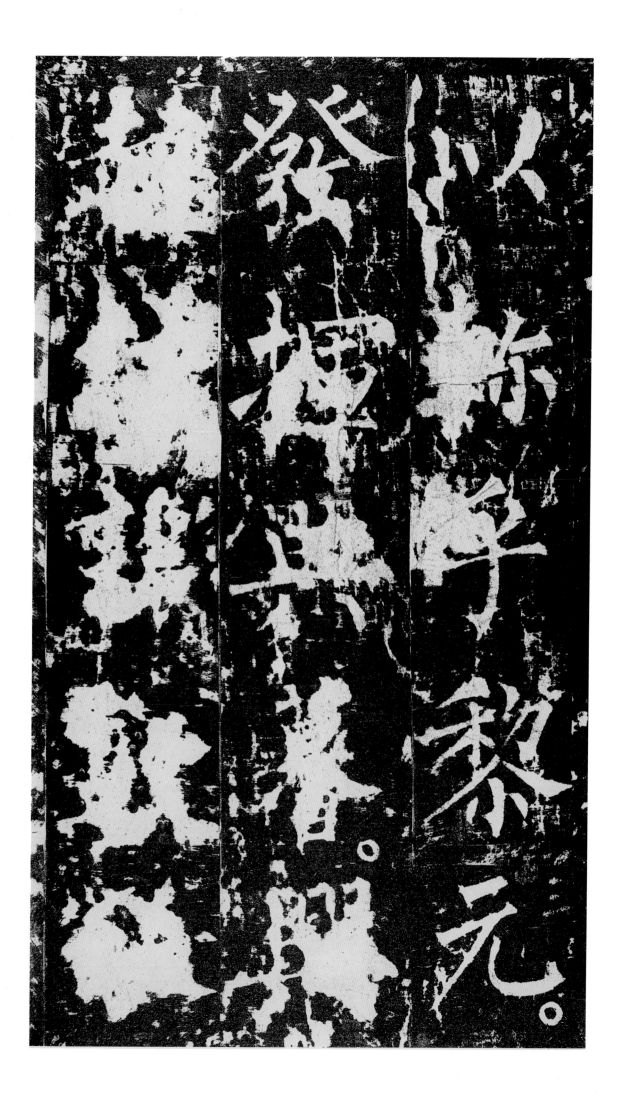

以亦字黎元。

發揮經籍。聚

[illegible]

九族咸秩無
文舟車之所
通日月之所

照莫不涵泳
至德被沐
皇風欣欣然

陶陶然不知
其俗之臻於
富壽矣是以

年稟順成汲
流承[illegible]惠
澤[illegible]子有載

聲教溢乎[illegible]

[illegible]

王月享[illegible]

玄元謂清

廟爰申報本

之義遂有事

於圓丘展
帝容備法駕
組練雲布羽

衛星陳儼翠
華之葳蕤森
朱干之格澤

尉爲秦[illegible][illegible]

拜泰宗故得

二儀壽任[illegible]

盡天纖芥無
斯應無幽不
通大輅鳴鑾

則雪清禁
道泰壇燎
則氣霽寒郊

非煙氤氳体
徵雜香既而
方龍迴轡萬

騎還宮臨端
門數大辨
行處領賞第

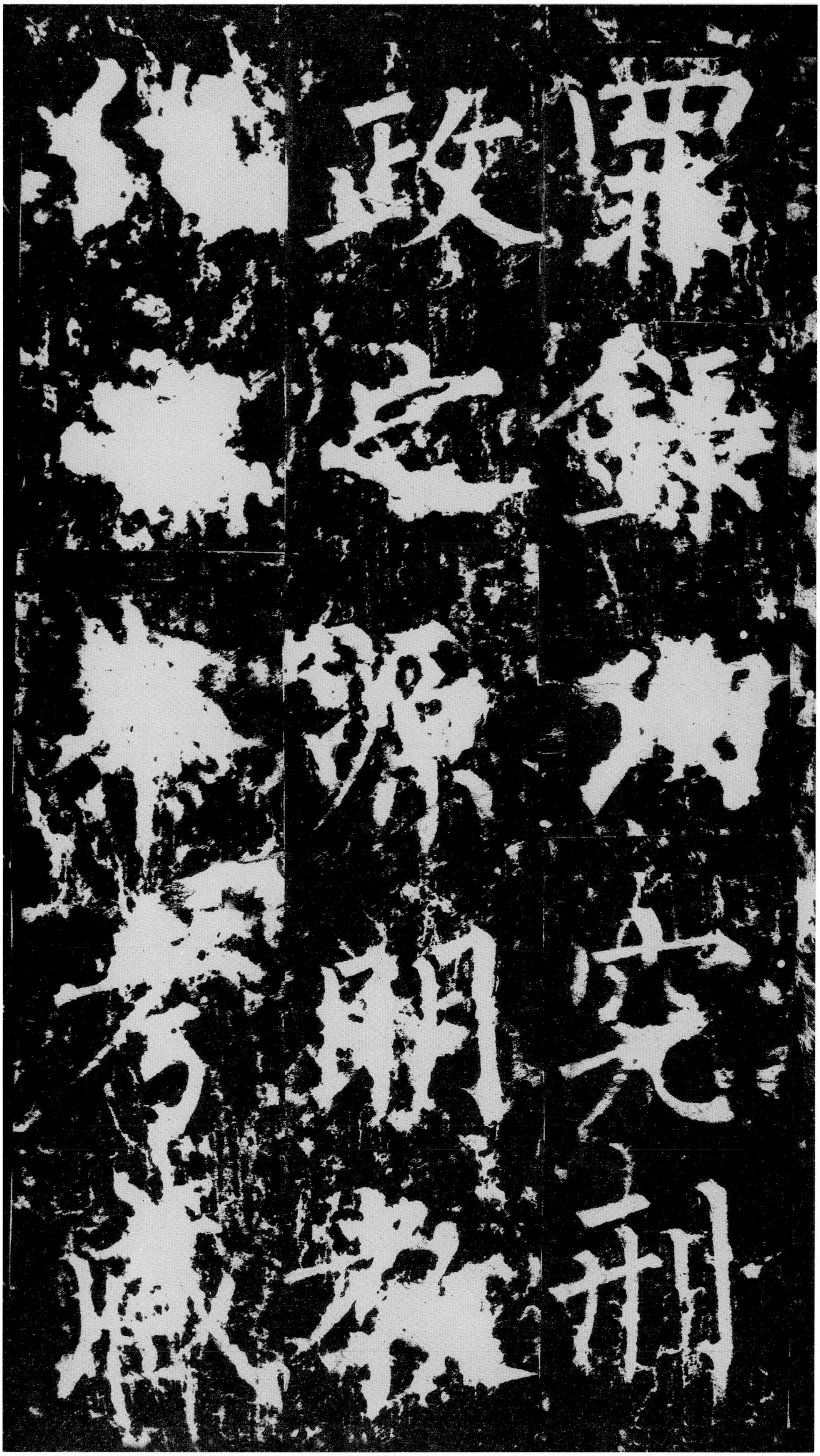

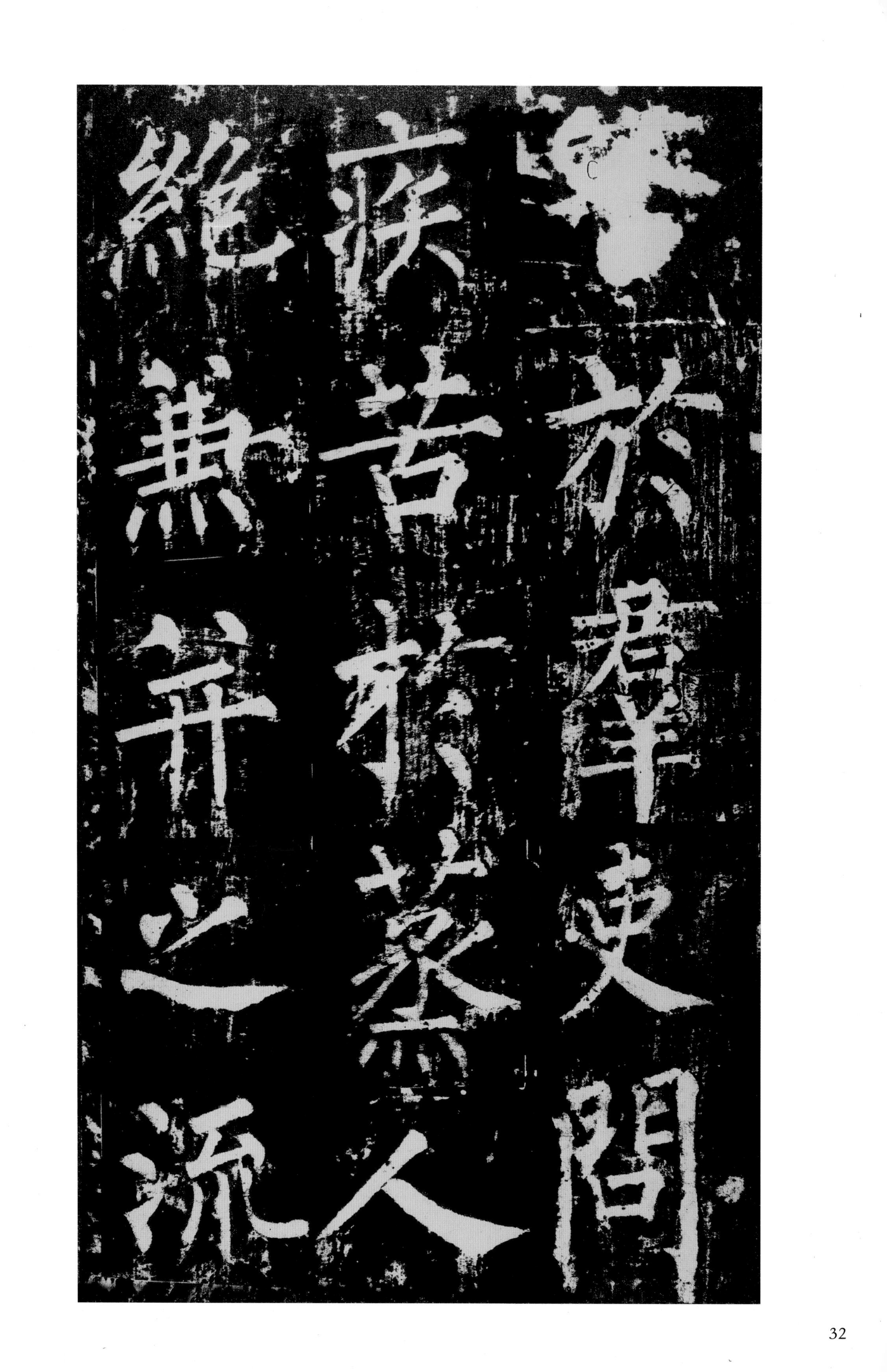

於羣吏間
疾苦於蒸人
絕無并之流

修水旱之備
面辟兢莊以
就位萬國奔

定而來庭揖
紳帶鵷之倫
髫之

俗莫不解辮

[illegible]角[illegible]德詠

[illegible][illegible][illegible]庠[illegible]

思退而謂群
臣曰歷觀三
五已降致理

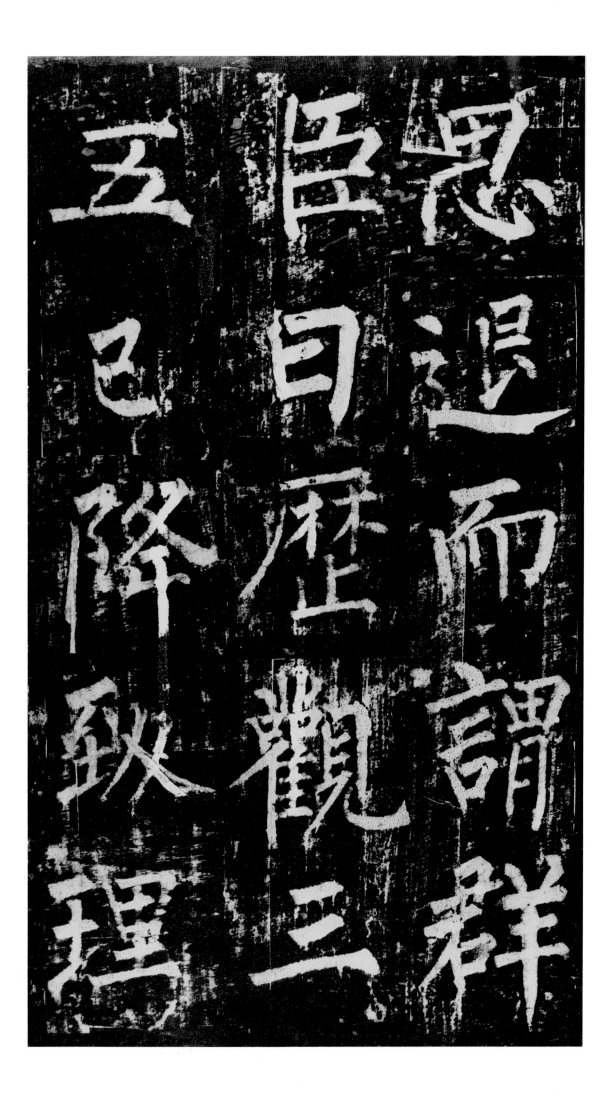

之君何常不
滿招損謙受
益與大素樂

無為宗易簡
以歸人保慈
倫入育□土

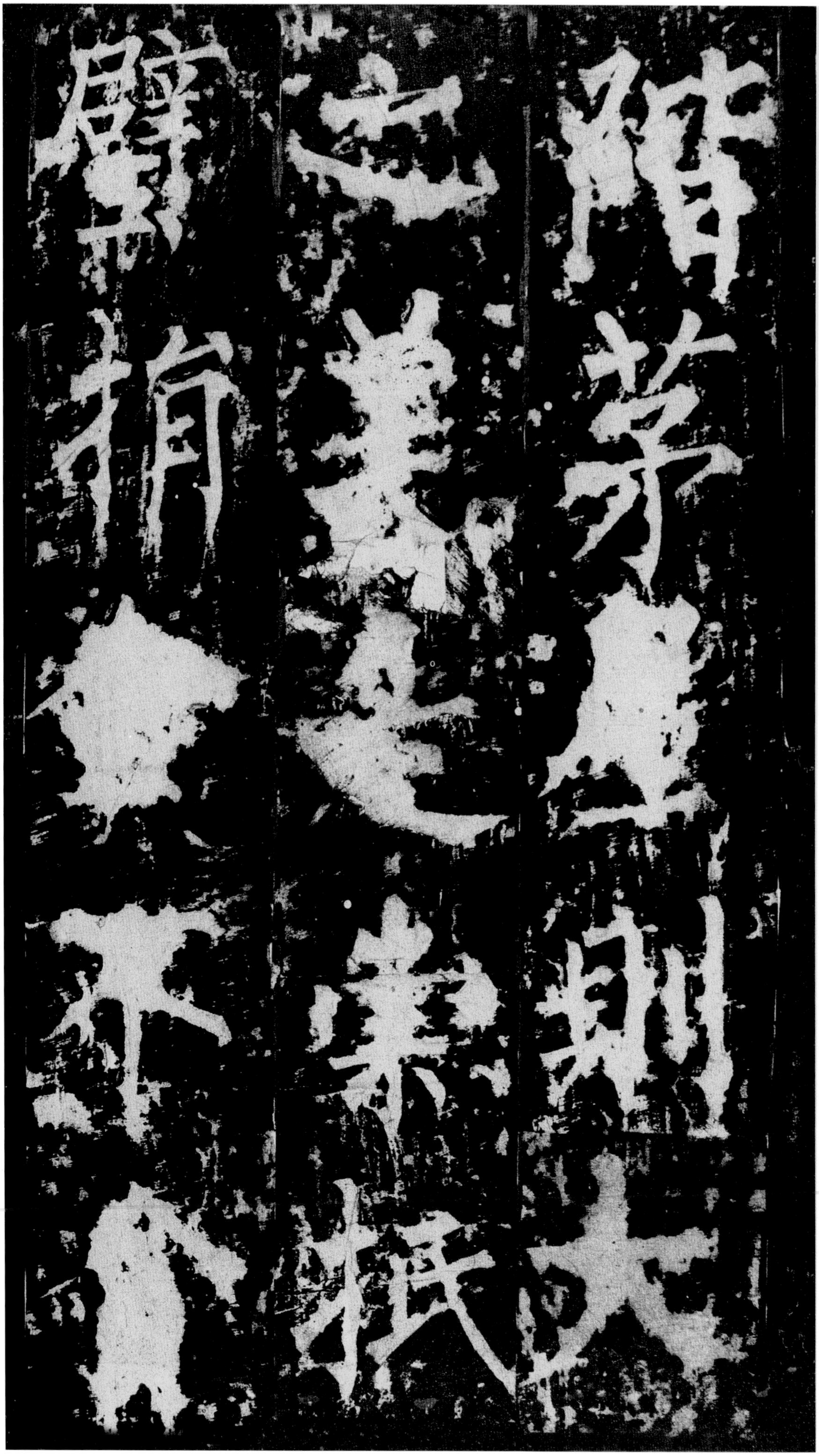

祖宗之
丕構屬

之甫寧思欲
追蹤太古之
遐風緬慕前

助歸還
上日迴鶴嘗

有功於國
家勳藏王室
繼以姻戚臣

節不踰命著

鬱而來依甚

已嗟憫安可

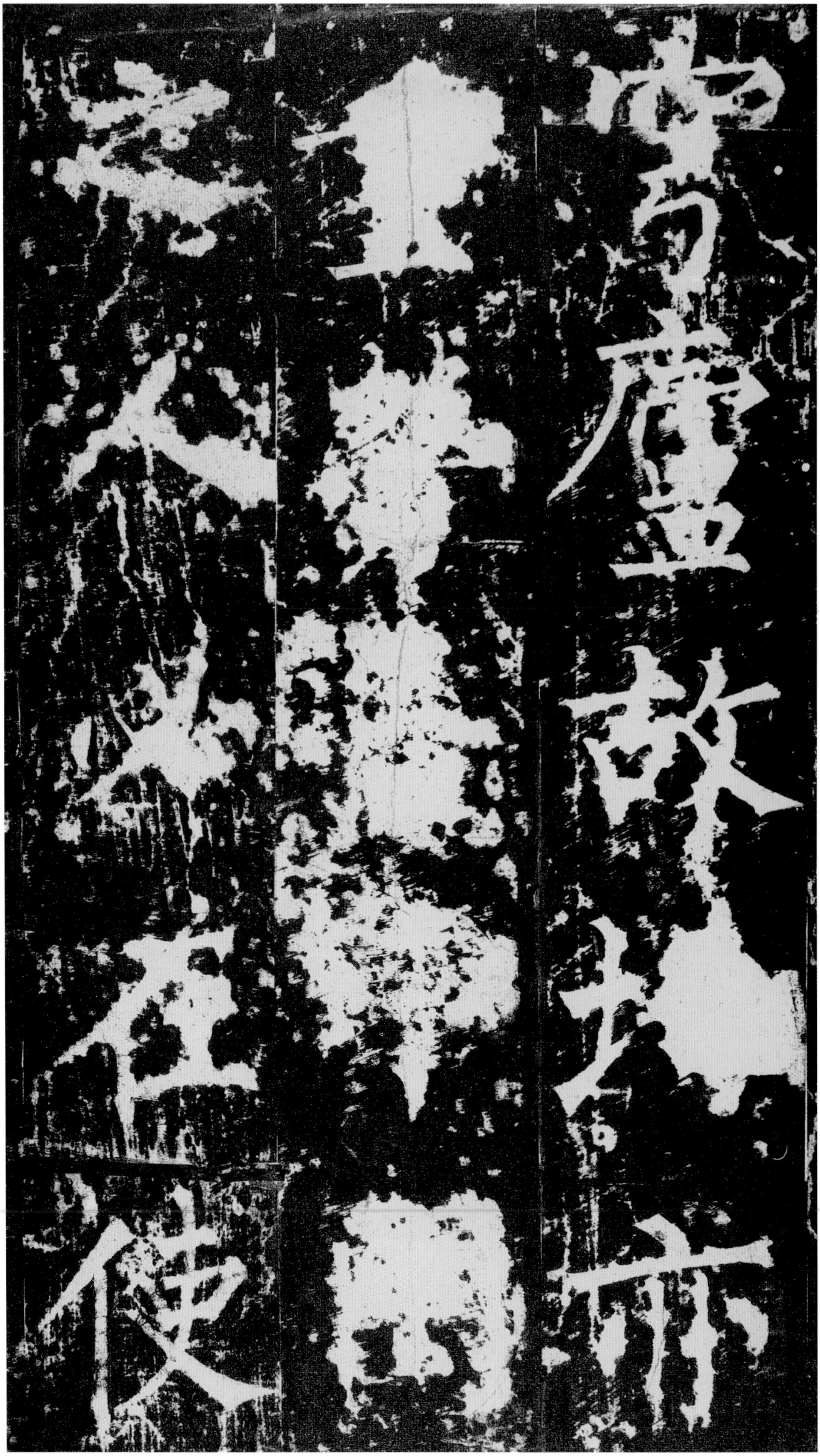

故
在
使

其志並存乎
興滅乃與丞
相密議繼遣

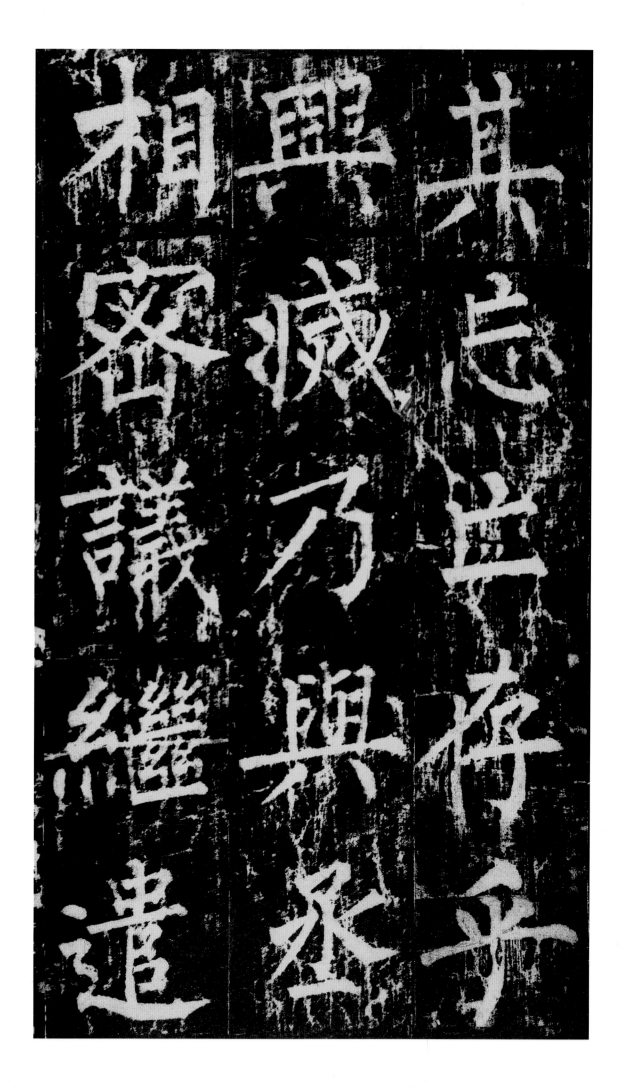

慰喻之後車

撫綃之情領

乘帛以郵其

國寶亦見禮
以全其鄰好
果有大特勤

嗢没斯有

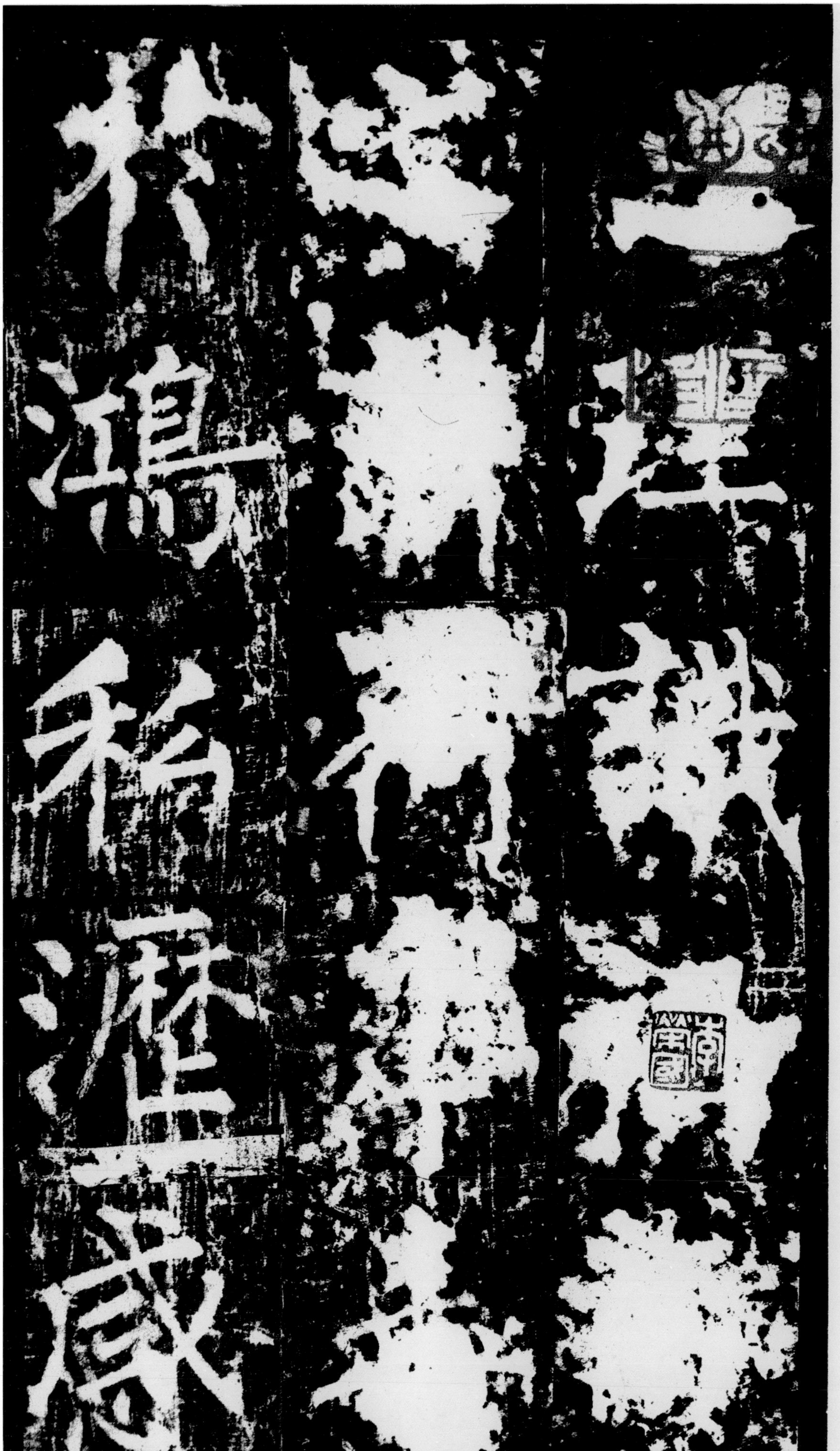
於鴻稱歷感

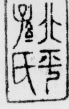

激之丹懇顧
偉左社來朝
京嘉莫識

翰林國史院官書

使君何處得此本猶有桓玄
寒具油
柳葉齋主人

題柳學士帖　　北平孫承澤

柳學士所書神策軍紀聖德碑風神整峻氣度溫和是其生平第一妙跡以其刻於唐大內外人無得見者故歐陽公及趙明誠俱不之載在宋入賈平章家籍入大內元人下臨安置國史院不知何日出入士紳家前有怪君何處得此本字乃漁陽鮮于伯幾筆也至洪武六年復入大內通年復出屢經兵火而完好如故真此神護之人間至寶也

[illegible]宋時區走皆未著録藏賈秋
壑家元破臨安籍没入官故首尾有翰林國史院官書印後有洪
武六年閏十一月收金書一行知明初猶藏大内後入晉府元明兩朝
數百年間外人無得見者清初為孫退谷所得顧亭林以碑文大
特勤一語新舊唐書皆作特勤疑為柳書之誤改特勤二字兩
見於契苾明碑再見于闕特勤碑而闕碑為唐玄宗御製御
書碑額及文皆作特勤新舊唐書作特勤者蓋鈔胥之誤而刻
板沿訛亭林當時未見契闕二碑猶信史册而疑石刻錢竹汀始據
石刻以正史譌不知特勤一語原出突厥[illegible]譯為首領之意
大特勤蓋仍其音而尊稱之也于孝顯碑云魏孝文以勅勤地

居口口又云敕勤犁頡樹領則特勤亦有作敕勤者唐書回紇傳云其先原出匈奴臣屬特厥近謂之特勤因知特勤敕勤特厥突厥皆當時譯音之異其義一也蓋特與敕厥與勤音相近似故也唐書之誤證以此碑及前舉三碑可無疑義此冊尚是南宋庫裝原分兩冊不知何時失去下冊以行款求之存十有七行第二十一頁後缺去一頁故文意不能連續十七行存二十字來朝上京嘉其誠誠字以下缺未能讀其全文殊為憾事唐書廻鶻嗢沒斯至京師在武宗會昌二年六月甲子而巡幸左神策軍則在七月知立碑當在二年七月之後矣時戊子三月開平譚敬